Mae eliffantod yn byw yn fforestydd a gweirdiroedd Affrica ac Asia. Eliffant o Asia yw Nwni. Benywod sy'n perthyn i'w gilydd, a'u plant, sydd mewn teulu o eliffantod fel arfer. Yr eliffant mwyaf a'r hynaf sy'n arwain y fuches a chaiff eliffantod bach ofal gan y benywod eraill yn ogystal â'u mam. Byddan nhw'n yfed llaeth eu mam am ddwy flynedd neu fwy, ond maent hefyd yn bwyta dail a gwair o dri mis oed ymlaen. Bydd eliffantod benyw yn aros gyda'r teulu, ond bydd gwrywod yn gadael eu mam pan fyddan nhw tua deuddeg oed, er mwyn crwydro ar eu pennau'u hunain neu gyda gwrywod eraill.

Cyhoeddwyd gyntaf ym Mhrydain yn 1999 gan Marshall Publishing Ltd., Marshall Editions Ltd., The Orangery, 161 New Bond Street, Llundain W1Y 9PA
Hawlfraint © 1999 Marshall Editions Developments Ltd.
Teitl gwreiddiol: *Elephant*
Cedwir pob hawl. Ni ellir cynhyrchu unrhyw ran o'r cyhoeddiad hwn heb ganiatâd ymlaen llaw gan y cyhoeddwyr.
ⓗ y testun Cymraeg: Bethan Matthews 2001 ©
Argraffiad Cymraeg cyntaf: 2001
Dymuna'r cyhoeddwyr gydnabod cymorth Adran Olygyddol Cyngor Llyfrau Cymru
Cyhoeddwyd gan Wasg Gomer, Llandysul, Ceredigion SA44 4QL
ISBN 1 85902 928 0

Darluniau: Ch'en-Ling
Ffotograffau: Simon Murrell
Dymuna Marshall Editions ddiolch i Animal Ark a Twycross Zoo
Golygydd Cyffredinol: Dorothy Einon
Golygydd Addysgol: Jane Bunting
Golygydd: Sadie Smith
Dylunydd: Siân Williams
Is-ddylunydd: Nelupa Hussan
Rheolwr Golygyddol: Katie Phelps
Rheolwr Dylunio: Ralph Pitchford
Argraffwyd a rhwymwyd yn yr Eidal gan De Agostini - Novara

eliffant

Jinny Johnson

Addasiad Bethan Matthews

Mae Nwni'n byw gyda'i mam a sawl modryb a chyfnither. Cafodd help gan ei mam i sefyll am y tro cyntaf ryw awr ar ôl iddi gael ei geni.

Edrychwch ar drwnc hir Nwni. Mae hi'n yfed â hwn. Mae hi'n sugno dŵr i'w thrwnc a'i chwythu i'w cheg.

Gall Nwni arogleuo pethau gyda'i thrwnc hefyd. Gyda hwn bydd hi'n cyffwrdd eliffantod eraill i ddweud helô.

Mae eliffantod bach yn hoffi chwarae. Mae Nwni a'i ffrindiau wrth eu bodd yn cwrso'i gilydd. Edrychwch, mae Nwni'n chwarae gyda boncyff.

Mae gan eliffantod ifanc lawer i'w ddysgu. Bydd mam Nwni'n dangos iddi ble i gael dŵr a bwyd. Bydd hi hefyd yn ei dysgu sut i fod yn ddiogel.

Mae eliffantod mawr yn cysgu ar eu traed. Ond mae Nwni'n swatio mewn lle cysgodol ar y llawr. Cysga'n braf, Nwni!